KU-218-897

Do Jo, mo phiuthar Shasannach,
a shuath rim shaoghal 's a lìon e le dathan.

Agus dhaibhsan uile nach do lorg
an tàlantan falaichte fhathast.

G.M.

A' chiad fhoillseachadh sa Bheurla 2013 le Macmillan Children's Books,
earrann de Macmillan Publishers Earranta, 20 Rathad New Wharf,
Lunnainn N1 9RR Basingstoke agus Oxford
www.panmacmillan.com

1 3 5 7 9 8 6 4 2

A' chiad fhoillseachadh sa Ghàidhlig 2016 le Acair Earranta
An Tosgan, Rathad Shiophoirt, Steòrnabhagh, Eilean Leòdhais HS1 2SD

info@acairbooks.com www.acairbooks.com

An tionndadh Gàidhlig le Chrisella Ross
An dealbhachadh sa Ghàidhlig Mairead Anna NicLeòid

Tha Acair a' faighinn taic bho Bhòrd na Gàidhlig.

Fhuair Urras Leabhraichean na h-Alba taic airgid bho Bhòrd na Gàidhlig
le foillseachadh nan leabhraichean Gàidhlig *Bookbug*.

Gheibhear clàr catalog CIP airson an leabhair seo ann an Leabharlann Bhreatainn.

ISBN/LAGE 978-0-86152-422-8

Clò-bhuailte ann an Siona

AN CROGALL NACH IARRADH GU UISGE

Gemma Merino

acair

Uair a bha siud bha
crogall beag ann . . .

nach iarradh faisg air uisge.

Lùigeadh e a bhith a' cluiche còmhla ri càch.

Ach bha iadsan trang le club-snàimh.
'S cha robh iarraidh aig crogall beag
air club-snàimh.

B' fheàrr
leis
a bhith
a' sreap
chraobhan!

Ach cha b' fheàrr
le càch.

Tha e aonaranach 's tu gun duine a chluicheas còmhla riut.

Rinn an crogall beag co-dhùnadh.

Chaitheadh e an t-airgead a fhuair e bho shìthiche nam fiaclan, 's bha fhios aige cò air.

An ath latha thug e an crios rubair
leis sìos chun an uisge.
An-diugh chluicheadh e còmhla
ri càch!

Ach cha b' aithne dha bàlla a chluich.

No fiù 's snàmh fon uisge.

'S ged a bha e fìor mhath air àradh a shreap,

cha
robh
e
idir
ag iarraidh

L
E
U
M.

Cha robh an crogall beag airson a bhith na aonar.

Dh'fheuchadh e, aon turas eile . . .

Aon,

dhà,

dhà
gu
leth

TRÌÌÌÌÌÌ!

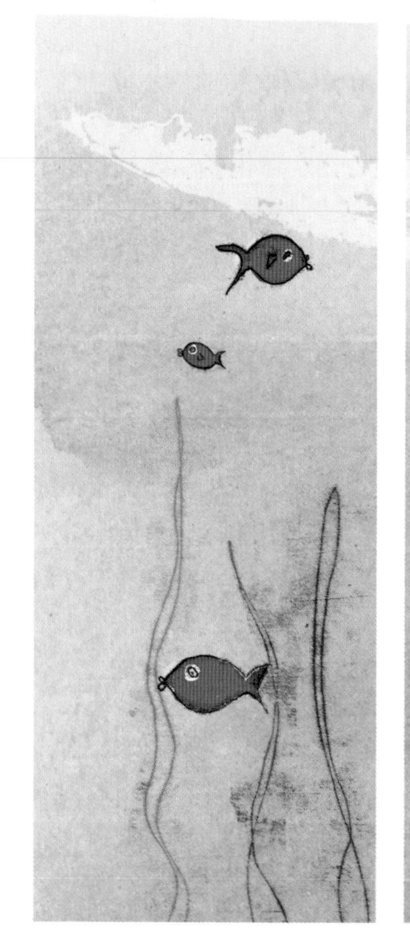

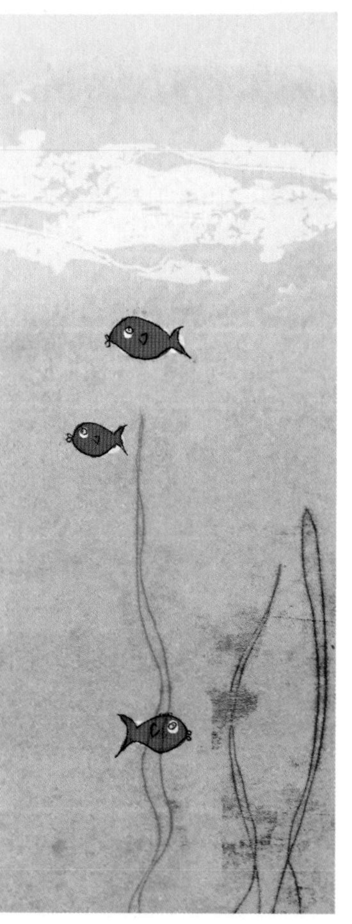

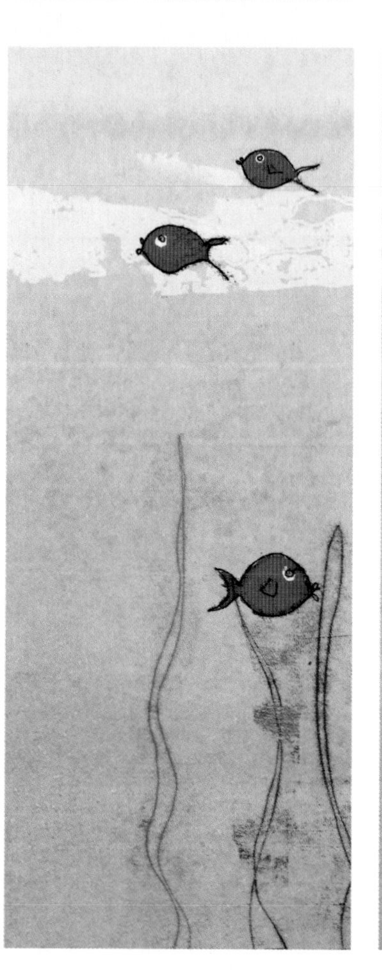

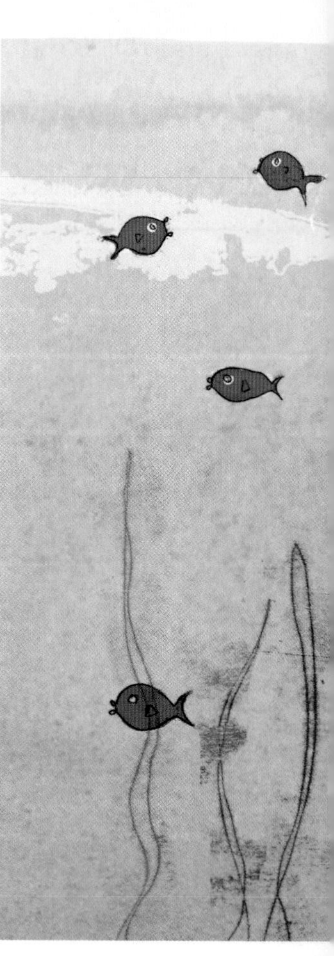

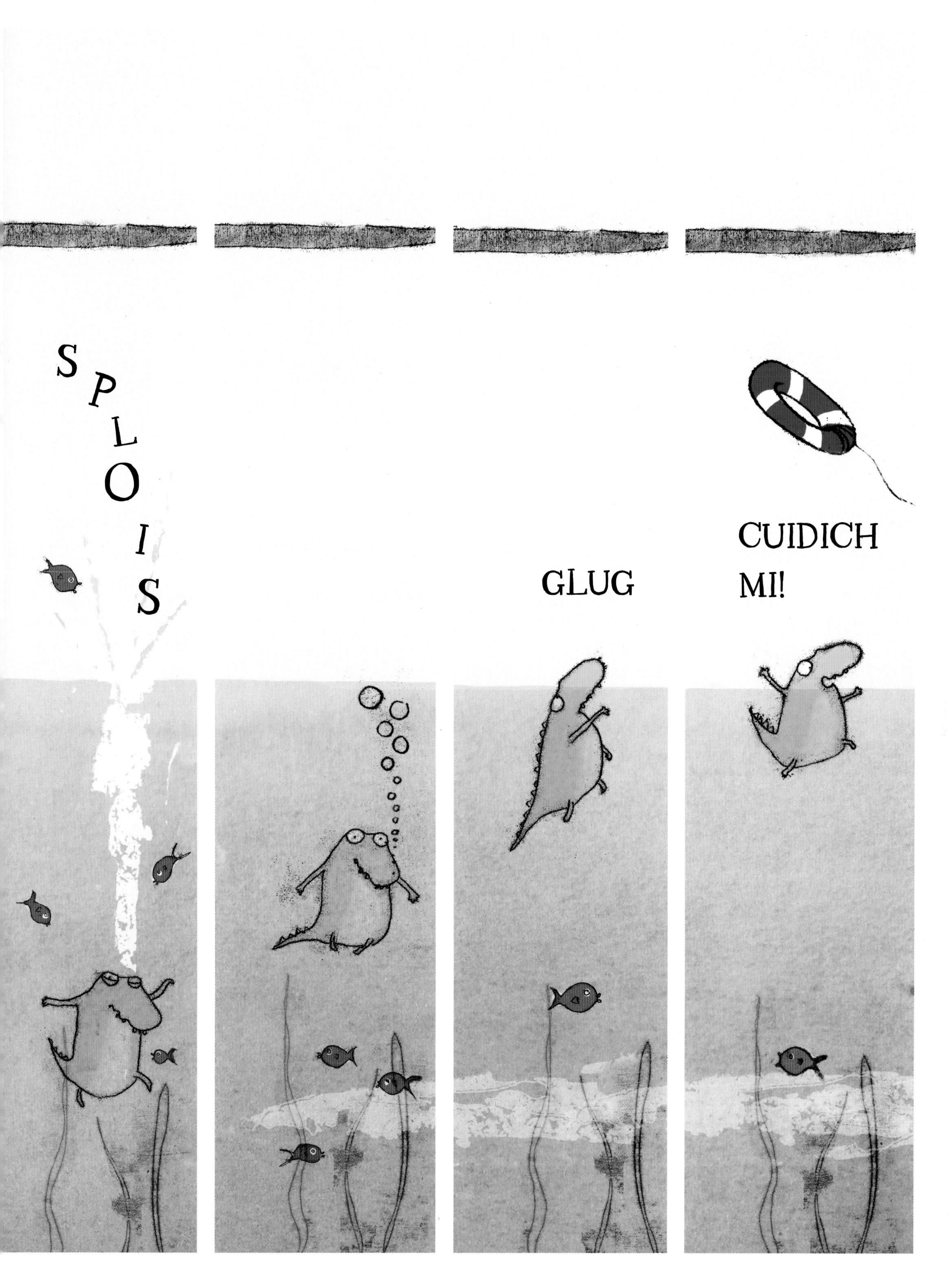
SPLOIS
GLUG
CUIDICH MI!

Bha fìor ghràin aig
a' chrogall bheag seo
air uisge.
Bha e fuar,
bha e fliuch,
agus bha e air a nàrachadh!

Ach an uair sin
thachair rudeigin.

Dh’fhàs a shròin
caran diogalach,

’s na bu dhiogalaiche,

’s na bu dhiogalaiche,

’s na bu dhiogalaiche buileach

gus . . .

AAAAITIS

IUUUUUU!

!

Cha robh an crogall
ag iarraidh faisg air uisge,
oir cha b' e crogall
idir a bh' ann!

’S e bh’ ann ach

DRÀGON.

’S chan e snàmh a

nì dràgon . . .

ach lasair a shèideadh.

Agus 's e itealaich as fheàrr le dràgoin!

AN
DRÀGON
NACH
IARRADH
GU
TEINE